LAS COSAS QUE PUEDES HACER CON TU HIJO 101

(AUNQUE SEAS UN PAPÁ MUY OCUPADO)

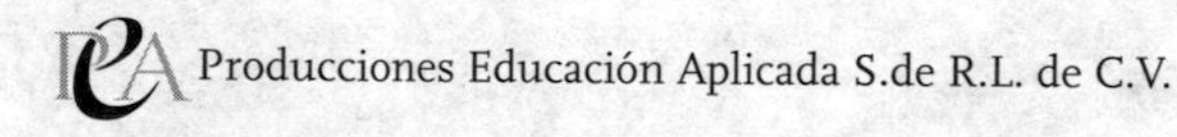

Borbolla de Niño de Rivera, Julia.
Las 101 cosas que puedes hacer con tu hija : aunque seas un papá muy ocupado / Julia Borbolla. — México : Producciones Educación Aplicada, 2012.
112, 112 p. : il. col. ; 23 cm.
Encuadernación de cada título en forma invertida
Con: Las 101 cosas que puedes hacer con tu hijo : aunque seas un papá muy ocupado.
ISBN 978-607-95359-9-5

1.Padres e hijos. 2. Cuidado paterno. I. t. II.t. : Las 101 cosas que puedes hacer con tu hijo : aunque seas un papá muy ocupado.

649.133-scdd21 Biblioteca Nacional de México

Primera reimpresión febrero 2013
Primera edición, marzo 2012
EDITOR: Vidal Schmill
CUIDADO DE LA EDICIÓN: Margarita Sologuren
DISEÑO Y DIAGRAMACIÓN: Maremoto diseño / Ana Paula Dávila
DISEÑO Y CARACTERIZACIÓN DE LA FAMILIA PINGÜINO©: Armando Niño de Rivera Borbolla
ILUSTRACIONES: Grupo Pictograma

Miguel Ángel de Quevedo 50-303, Col. Ex Hacienda de Guadalupe Chimalistac.
México 01050 D.F.
Tel. +52 (55) 5543 0108 y +52 (55) 5543 0112
www.escuelaparapadres.com
www.juliaborbolla.com
ISBN: 978-607-95359-9-5

IMPRESO EN MÉXICO

COSAS QUE DEBEMOS TOMAR EN CUENTA PARA QUE ESTE LIBRO FUNCIONE:

Dale su lugar enfrente de los otros.
Respeta tus citas con él o ella.
Prepara las opciones antes de ofrecerlas.
No ofrezcas más de lo que en realidad puedes hacer.
No te dejes chantajear.
No cedas por evitar discusiones.
Si juegan y compiten, trátalo como rival o competidora.
Si comparten y ríen, trátalo como un amigo o una amiga.
No se diviertan a costa del perjuicio de los demás.

Sorpréndelo portándose bien

Sigue de cerca alguna actividad de tu hijo. Esto te dará la oportunidad de ***re-descubrirlo*** haciendo algo bien. La meta es que le llames la atención.... Pero por algo bueno.

2 Elógialo

Los elogios que vienen de los padres, por sencillos que sean, son los más importantes para los niños. No esperes hasta que tu hijo haga algo extraordinario para elogiarlo.
¡Ojo! Sé específico. Cuando elogies a tu hijo, dile exactamente cuál es la razón. No solo por algo que haya hecho sino por algo que evitó. Por ejemplo: "Qué bien hiciste al no interrumpir cuando estaba hablando por teléfono. Gracias." Evita los elogios ambiguos. Por ejemplo: "Qué bien te portaste hoy". El niño no entiende en abstracto, debe saber exactamente qué significa "portarse bien" para su papá.

Apapáchalo

Además de los elogios verbales, debes darle atención física. Abrázalo, sonríele, dale un beso, una palmada en la espalda, o un guiño de ojo. Los niños más chicos responden especialmente bien a la atención física.

Dile a la "puerta" lo que quieres que escuche la "ventana"

Presume a tu hijo con tus amigos y parientes, pero hazlo de manera que él lo escuche. Que no sea tu hijo el último en saber lo orgulloso que te sientes de ser su papá.

Coman en su restaurante preferido

Busquen un restaurante que no frecuenten en familia. Uno especial, al cual solo ustedes dos puedan ir por lo menos una vez al mes.

6 Vean juntos un partido de su equipo preferido

Acércate a las aficiones de tu hijo, aunque no sean las tuyas, y comparte un juego televisado que él pueda explicarte o enriquecer con comentarios sobre las jugadas o los personajes que admira.

Pregúntale sobre los temas que él conoce

A todos nos gusta saber más que papá en algún tema. Permite que sea tu hijo quien te enseñe algo de lo que a él le interesa. (Los personajes de las caricaturas, las estampas que colecciona o la música que está de moda).

Compartan un juego de mesa

Un juego ágil y no muy tardado que les haga pasar 10, 20 o 60 minutos alegres. Una simple lotería o submarino. Es importante que le aclares desde el principio cuántos tiros serán o cuánto durará el juego para que no insista en seguir y te presione. Esto podría arruinar el momento y ser contraproducente. Cuando los niños la pasan bien con papá, nunca querrán que el momento termine.

Vean una película

Ve una película con él y muéstrate interesado. Te asombrarás de lo que tu hijo ve y de lo que interpreta. En adelante tendrán otro tema en común.

10 Cocinen juntos

Busca una receta sencilla que puedan hacer para convidar a la familia.
La complicidad en la cocina no debe ser exclusiva de las mujeres.
Haz de esto todo un evento. Un delantal para cada uno puede enriquecer la experiencia.

Pregúntale cada día qué fue lo mejor que le pasó

Esta pregunta puede hacerse al pie de su cama, cada noche, o por teléfono. Sin que importe lo dura que esté la jornada, abre un paréntesis aunque sea a distancia. Con esta pregunta le ayudarás a hacer un ejercicio diario de positivismo y, al mismo tiempo, conocerás de cerca el mundo que él vive cuando tú no estás.

Habla de tu infancia con él

Cuéntale cómo te sentías a su edad cuando tus papás te regañaban. Háblale de tus miedos y tus ilusiones. Se siente muy bien descubrir en tu padre a un ser humano como tú.

Programa una llamada al día

Escoge un momento en el día para llamarlo por teléfono. Sé muy breve, solo dile que lo amas, o que te acordaste de él. A los niños no les gusta hablar mucho tiempo por teléfono; pero les fascina saberse queridos e importantes para papá.

Cítalo a una junta

Así como agendas tus juntas de trabajo, programa una especial con él. El tema puede ser la escuela, los amigos, las mujeres o las próximas vacaciones.

Juega a las canicas (con tres tiros basta)

Puede ser en cancha de alfombra o de tierra. Tengan su propio bote y echen unos cuantos tiros. Intercala triunfos y derrotas para mantenerlo "picado". Tal vez pronto, aunque quieras, ¡no podrás ganarle!

Construyan un barco de papel

Échenlo a navegar en la bañera o aunque sea en el lavabo.

Vayan de pesca

Pueden ser truchas en un hermoso lago o pescaditos de plástico en una simple tina. Para tu hijo, no importan ni la caña ni la presa sino la compañía.

Ayúdalo con la tarea

Papá ve de otra manera los problemas de matemáticas y no se fija tanto en la limpieza del cuaderno. Además resulta un buen rescatador del enojo de mamá.

Reconócele sus creaciones

Pon uno de sus dibujos en tu oficina o tu cabecera; usa, como separador de libros o adorno, alguna de sus "obras de arte".

Aprendan algo juntos

No se trata de hacer solo lo que él quiere o, por el contrario, llevarlo a tu "territorio". Padre e hijo deben crear espacios en donde ambos disfruten. Generalmente estos espacios se encuentran en actividades nuevas para ambos.

Busquen la sorpresa del día

Para que ni tú ni tu hijo pierdan su capacidad de asombro. Busquen una sorpresa en lo que les rodea; como por ejemplo, la dilatación de las pupilas, el buen olfato de un perro, el color de una flor, la variedad de cereales en el súper, el sonido del silencio, las formas de las nubes, etcétera. La vida diaria está llena de maravillas y sorpresas que, descubiertas junto con tu padre, te dejan una herencia de vivencias que nunca te abandonarán.

Muéstrale tu admiración

Descubre aquello que tu hijo sabe o hace y que tú no puedes hacer o no conocías. Admira su mundo moderno, el que él vive y que a ti no te tocó.

Cuéntale cuando a ti te pasó lo mismo

Hay experiencias que no pasan de moda, hay vivencias que todos los niños tienen o han tenido. El saber que a papá le pasó lo mismo hace que el niño se sienta comprendido y le da valor a tus consejos.

24 Jueguen luchitas

Tú eres el "instructor" por excelencia del juego rudo y de contacto físico que caracteriza a los niños. Solo papá sabe jugar a eso, porque imamá se asusta!

Creen un idioma con claves secretas

Pueden ser unas señas o claves de espías, que solo conozcan ustedes dos. La intriga y descontrol del resto de la familia es parte de la diversión.

Armen rompecabezas

Empiecen por uno pequeño de pocas piezas y vayan aumentando el grado de dificultad. Pueden armarlo de una vez o poco a poco. Pueden agregar piezas incluso en diferentes momentos; él en la tarde y tú al llegar de la oficina. Dos o tres piezas según pueda cada quien. El simple hecho de compartir una tarea es ya una actividad en equipo, aunque no estén juntos. Busquen un rincón de la casa para que nadie más lo toque.

Vayan al supermercado

Puede ser por ayudar a mamá o simplemente para satisfacer esos antojos que no compran con ella. La experiencia, si no es frecuente, resulta siempre emocionante.

28 Laven el coche

No importa el resultado en el auto o en la ropa; sino en el corazón del niño.

Hagan una buena obra

Ayuden a alguien, sacrifiquen un placer por darlo a otro. El altruismo solo se aprende con el ejemplo y viviendo los efectos que logran en uno mismo.

30 Junten un álbum de estampas

En cualquier puesto de periódicos encontrarán un buen álbum. Háganlo poco a poco. Aunque pudieras comprar todas las estampas de una vez, el esfuerzo de irlas adquiriendo poco a poco es muy importante. Los papás que viajan mucho pueden conseguir las "difíciles" durante sus viajes.

31 Hagan un cuete con cerillos

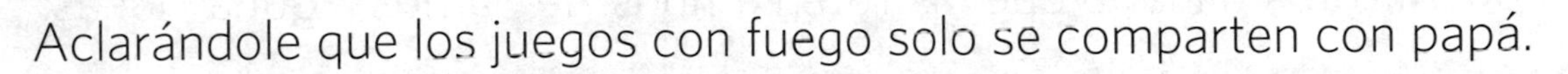

Aclarándole que los juegos con fuego solo se comparten con papá.

Inventen una botana para estar juntos

Que sea un invento culinario que disfruten ambos. Te damos algunas ideas:

- **Carritos de apio.** Cortar un trozo de apio y colocarle a los lados rueditas de zanahoria sujetas con palillos. Rellenar el apio con queso crema.
- **Banderillas de frutas.** Se necesitan plátanos en ruedas, cuadritos de fresas, uvas o lo que más les guste. Colocar en palillos largos de madera. Pueden mojarlas en yogurt o chocolate suave.
- **Satélites.** Colocar un trocito de piña, una uva, un cuadrito de queso y apio en un palillo. Preparar varios palillos y clavarlos en una manzana hasta formar un satélite.

33 Búscale su "hueso alegre"

Hazle cosquillas buscando el hueso más alegre del cuerpo. Cualquier momento del día es bueno para esta actividad; pero te sugiero que no lo hagas cerca de la hora de dormir.

34 Lean un cuento

Puede ser de un libro de cuentos cortos que lean en la noche o los sábados. Puede ser una historieta o un fragmento de un cuento largo. Una página por día, un cuento por semana; la opción es tuya, lo importante es ser constante y consistente, es decir, siempre y de la misma forma.

35 Paseen en bici

Enséñale a andar en bici y sal a dar una vuelta con él.

36 Disfrácense

Saca a tu niño interior y compártelo con tu hijo. Cualquier ocasión es buena para disfrazarse y unos simples lentes o un sombrero pueden lograr el efecto que se busca.

37 Paseen al perro

La rutina de sacar a dar una vuelta al perro ofrece un espacio para platicar. Además, la responsabilidad compartida, acerca a las personas.

38 Rieguen el jardín

Pueden tener su propia técnica y un horario especial. El jardín es solo el pretexto para estar juntos.

Jueguen carreras de coches

Una pista de papel o de tierra, unos autos de plástico o de control remoto. Uno, dos, tres... meta. ¿Recuerdas? A empujones o de un solo impulso. De la cocina a la recámara, etcétera. Cada papá y cada hijo pueden inventar juntos un estilo particular.

Compartan un truco de magia

Hay libros y juegos que enseñan trucos sencillos. Juntos lo pueden practicar y mostrarlo a todos en la próxima comida familiar.

Siembren una planta

Cuídenla y abónenla solo ustedes. Dividan la responsabilidad de cuidarla. Papá puede llevársela a la oficina algún día y el hijo a la escuela para mostrarla.

Pinten con acuarela

Unas pinturas de agua y un pincel no solo pueden ser un lazo de unión, sino una actividad divertida y enriquecedora para ambos. Pueden tomar clase juntos o simplemente atreverse a crear a partir de la inspiración.

Ensúciense un día

Es increíble la capacidad terapéutica que puede tener el simple hecho de ensuciarse de lodo o pintarse la cara. El embarrarse merengue o batirse con pintura. "Una vez al año no hace daño" y puede ser uno de los mejores recuerdos de su infancia.

44 Hagan un campamento con cojines y sábanas

Con los cojines de un sillón se puede hacer la mejor "guarida", y si además papá también se esconde, el juego es doblemente divertido.

Juega a que tú eres el hijo

Invertir los papeles resulta divertido pero sobre todo muy revelador. A todos los niños les gusta ser el papá algunas veces y a muchos papás les gustaría también volver a ser los hijos por un ratito.

Jueguen con masa para moldear

La creatividad no tiene límites y los niños ejercitan su coordinación fina.

Concursen por la bomba de chicle más grande

Que se note tu amplio conocimiento sobre los mejores chicles para hacer bombas. Las cosas simples le ponen color a la vida.

Ganen la batalla contra las verduras

Reta a tu hijo para que juntos le encuentren un buen sabor a las verduras. Con queso, con chilito y limón o simples, y sin la obligación de comerlas todas enteras.

Vuelen un papalote

Te asombrarás de lo fácil que resulta.

Hagan una competencia de eructos

¡Qué la abuela no se entere de este pasatiempo!

Llega del trabajo a buscar su tesoro escondido

Solo se trata de una broma que lo hará reír y esperar con ansia tu llegada a casa. Tómalo de los pies y sacúdelo boca abajo para que caigan las "monedas" que trae dentro. ¡Tal vez en una de esas aparezca un centenario! (No lo hagas cuando acabe de cenar).

Déjale un recado debajo de su almohada

Una simple nota puede cambiar su día.

53 Preparen un regalo para mamá

Pueden ser flores o un dibujo. El chiste es que sea de los dos.

54 Váyanse de pinta

A nadie le cae mal un día libre.

55 Que te enseñe a usar su consola y compartan videojuegos

Atrévete a entrar de lleno a "su" terreno, aunque creas que no eres tan viejo, ¡las consolas cambian!

Hagan una guerra de migajonazos

La regla es hacerlo discretamente, si los cacha mamá, pierden. El resto de la familia dirá que lo mal educas, pero la flexibilidad es parte de una buena educación.

Adopten una pequeña mascota

El compartir el cuidado de un ser vivo es el principio de un adulto responsable.

58 Recen juntos

No importa si eres agnóstico o cuál sea tu religión. Le puedes rezar a la vida, a la energía o a la paz mundial. Tu hijo merece tener la opción de enriquecer su vida espiritual.

59 Hazle la "Silla Vaciladora"

Acuéstate en la cama con las piernas flexionadas y el niño sobre tus rodillas. El chiste es hacerle preguntas. Si contesta acertadamente la "silla" no se moverá; pero si no responde bien desdoblas las rodillas y el niño se cae.

Hagan burbujas de jabón

Con las manos y un shampoo puedes pasar un rato divertido.

Vean una caricatura juntos

Esa de la que él siempre habla. ¿Es a media tarde? ¿No te puedes dar ese lujo? Siempre hay un recurso: grábala, cómprala en CD o aprovecha un día de asueto.

Llévalo a acampar

Puede ser una sola vez en tu vida; pero nunca lo olvidará. En esta experiencia, hasta los contratiempos son anécdotas divertidas.

Pídele su opinión

¿Sabe tu hijo cuáles son tus problemas cotidianos? Pídele su opinión sobre algo sencillo para ti, que lo hará sentirse muy importante a él.

Sorprendan a mamá

Una broma, un susto o la mayor sorpresa que sería dejar recogida la cocina después de comer sin que ella lo haya pedido.

Llévalo al museo de cera

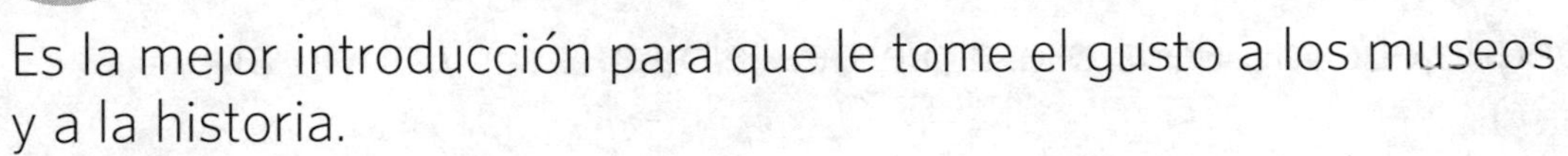

Es la mejor introducción para que le tome el gusto a los museos y a la historia.

Jueguen vencidas

Quien despegue el codo de la mesa pierde. (No seas muy obvio al dejarte ganar).

Hagan una historieta (comic)

Utilicen lo básico: hojas blancas y colores; pero asegúrate de poner lo más complejo de esta actividad... ¡Echar a volar la imaginación de los dos!

68 Adivinen sonidos

Cada uno emite un sonido mientras el otro cierra los ojos. Hay que adivinar con qué se produjo el sonido o de dónde salió.

Ayuden a los quehaceres de la casa

El patio o el baño pueden ser su territorio de responsabilidad compartida. Pidan a mamá que no sea muy exigente, lo importante no es el resultado impecable; sino el formativo.

Jueguen "Veo-Veo"

Mientras van en el coche busquen placas con una letra determinada o personas con gorra. Pueden escoger cada uno un color de coche para ver quién ve más hasta llegar a su destino.

Elaboren su propio diccionario

Pregúntale: "¿Qué es para ti la vida, Dios, el divorcio, la contaminación?, etcétera". Escribe sus definiciones. En 10 años tendrás otra actividad divertida que hacer con él, que será leer este diccionario.

Busquen insectos en el jardín

Un bote limpio de mermelada con agujeros en la tapa puede servir para su pequeño zoológico.

Salgan a ver la Luna

La Luna es la misma y siempre está ahí. Véanla juntos para que, cuando no lo estén, ella sea quien los una en el pensamiento.

Vayan a un concierto

El niño no se aburrirá si aprende junto a ti a descubrir el violín entre los demás instrumentos.

Conozcan la base de los bomberos

El lugar donde vives está lleno de novedades si sabes mirar.
La estación de bomberos es tan interesante tanto para los chicos como para los grandes.

76 Escondan un tesoro

Escriban lo que viven hoy y cómo se imaginan que estarán en cinco años, cuando abrirán el cofre. Enriquezcan este tesoro con una foto y algo significativo para cada uno. El escondite debe ser muy bueno y deben vencer la tentación de sacarlo antes del plazo señalado.

Véndense los ojos y guíense el uno al otro

Este juego no solo agudiza el resto de los sentidos sino que refuerza la confianza entre ustedes.

Contesten un crucigrama

Hay muchos libros con estos y otros pasatiempos con diferentes grados de dificultad. No tienen que hacerlos todos en un día, ni siquiera uno completo por vez.

Llévalo un día a la oficina

Hazlo tu invitado de honor. Le encantará ver su propia foto entre tus principales adornos y conocer a tus amigos.

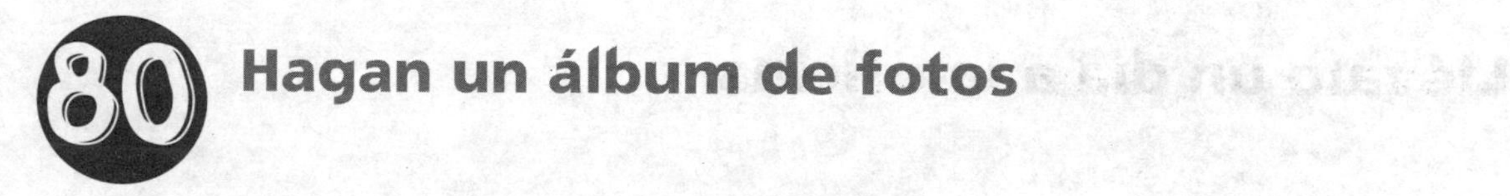

80 Hagan un álbum de fotos

Una imagen vale más que mil palabras.

Comenten qué es lo mejor y lo peor que les pasó en el día

Es una buena manera de iniciar una conversación que no suene a interrogatorio. Evita que esto sea el inicio de un regaño.

Haz un nudo en la sábana

Si llegas muy tarde del trabajo, hazle un nudo en la sabana para que sepa que lo fuiste a ver. Cuando las presencias no coinciden, hay que fabricarlas con símbolos.

Escucha su música

Escucha de vez en cuando la música que le gusta para que tengan un tema de conversación y él se sienta a gusto y feliz por compartir gustos.

Canten en el coche

Al saber la música que tu hijo escucha, canten una canción camino a la escuela o a cualquier lado, si es una que a él le gusta ¡mejor!, ya que se sentirá más parte de ti y tú de él por tener gustos en común.

Tiro al blanco

En uno de tus ratos libres juega con él tiro al blanco, si no lo tienen, es un buen momento para sentarse y convivir mientras fabrican su propio juego, de esa forma el verá que aunque estás ocupado por el trabajo, tienes un tiempo para él.

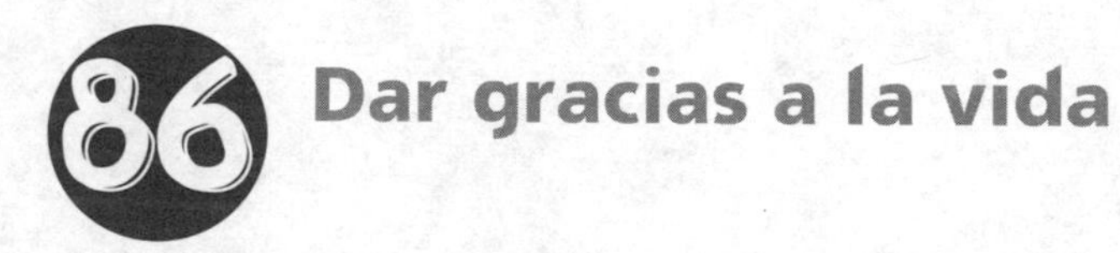

86 Dar gracias a la vida

Enséñale el valor tan importante que tiene la vida sin importar la edad que tenga, enséñale a agradecer las cosas materiales y no materiales que tiene, para que dentro de su mundo vaya formando la idea de lo importante que es vivir día con día.

Aprender a pedir perdón, sin desautorizarse

Cuando cometas un error ante tu hijo, pídele perdón por lo que hiciste o dijiste, pero sin llegar al grado de quitarte la autoridad que tienes ante él. Explícale los motivos de tu falla y demuestra humildad para que no te vea todo el tiempo como la persona que nunca se equivoca, hazle entender que como humano se tiene permitido cometer errores siempre y cuando sean reconocidos.

Hacer máscaras de pan

¿Quién dijo que la cena no puede ser un momento divertido? Cuando estén preparando el sándwich, toma el pan y hagan caras, ya sea con la mayonesa o la mostaza, o simplemente, hazle pequeños orificios a la rebanada. Notarás el agradable momento que pueden pasar con cosas diarias de la vida.

Vístanse iguales

Un domingo, o cualquier día de la semana, en la tarde que estés disponible, vístete como tu hijo, de esa manera se sentirá más identificado contigo y tú con él, así también podrás demostrarle que aparte de ser su padre, pueden llegar a ser muy parecidos.

Hagan una pelota de globos

El trabajo en equipo es una de las mejores formas de convivir, construye con él una pelota de globos y jueguen un rato, aunque sea pequeño, él tomará en cuenta la convivencia que tengan.

Otórgale una responsabilidad

Cuando no estés en casa, asígnale una tarea a realizar en el hogar, como puede ser que al llegar de la escuela, él solo se quite el uniforme (si tiene la edad para hacerlo) o antes de dormir recoja sus juguetes. Esto empezará a darle independencia y sentido de responsabilidad.

Pelea de risas

Propicia una pelea... ¡pero de risas! Foméntale que quien haga la risa más fuerte o más sincera será el ganador de una sorpresa, como un dulce o algo que tanto a ti como a él les guste.

Háganle un collar de pasta a mamá

Como una sorpresa para mamá, y también como una forma de convivir, enséñale y ayúdale a hacerle un collar de sopita a mamá. De esa manera estimularás su creatividad y será una forma de decirle a mamá lo agradecidos que están por todo lo que hace por ustedes.

Háganle una broma al abuelo

Saca al niño que llevas dentro... Cuando estén de visita en casa del abuelo, o conviviendo con él, háganle una broma como esconderle el periódico, de esa manera tu hijo podrá saber que en cosas "inocentes" pueden ser cómplices.

Mándale un e-mail

Cuando te encuentres trabajando, tómate dos minutos de tu tiempo para mandarle un e-mail y contarle cómo te está yendo en el trabajo o preguntarle cómo está él. De esa forma tu hijo se dará cuenta que aunque no estés en casa, piensas en él y lo recuerdas constantemente.

96 Ir al club

Cuando vayas al club, invítalo, para que de esa manera forme parte de las actividades que a ti te gustan. Así como tú conoces su música favorita, es importante que él sepa lo que tú disfrutas y que lo pueden compartir juntos.

Llévale una sorpresa solamente porque sí

Antes de llegar a casa, tómate unos minutos para comprarle un dulce o una pelota y al llegar dale la sorpresa sin tener algún motivo en especial, tu hijo se sentirá feliz.

Enséñale las constelaciones

Una noche, acuéstense en el jardín a contemplar las estrellas y enséñale que entre todas forman algo llamado constelaciones. Responde a todas las dudas que tenga, así sabrá que cualquier duda o inquietud que tenga puede ser respondida por ti y que le puedes ayudar dándole un consejo, de la misma forma como él puede aconsejarte y ayudarte. Lo que ignoren... ¡investíguenlo juntos!

Escápense al cine

Una tarde, no le digas a dónde van y huyan al cine. Demuéstrale que a pesar del trabajo y de las cosas que tienes que hacer, hay un tiempo para él. Sean cómplices una vez más y no le digan nada a nadie del plan y lo que hicieron, para que así él te vea como una persona con la que puede guardar y compartir secretos.

Llévalo a una biblioteca

Una tarde llévalo a la biblioteca más cercana. Así como le fomentas momentos divertidos, también son importantes los momentos educativos. Ayúdale a elegir algunos libros y busca otros para ti. El recuerdo es imborrable.

Hazlo partícipe de las decisiones del día

Aunque sean decisiones sobre lo que comerán en el día, haz que participe, de esta manera se sabrá parte de la vida de la familia y no verá a mamá y a papá como "los que mandan". Cada miembro de la familia tiene voz, siempre y cuando no rebase los límites establecidos en casa.

Julia Borbolla de Niño de Rivera

Nació en la Ciudad de México. Es psicóloga clínica, titulada con mención honorífica por la Universidad Iberoamericana. Ha tomado diversos cursos de especialización en terapia de pareja y familia, así como de técnicas de evaluación, diagnóstico y tratamiento psicológico. Se ha dedicado a trabajar con niños y adolescentes desde 1980.

Ha participado en simposios y diversos programas sociales públicos y privados. Julia es invitada frecuente de programas de radio y televisión e imparte un sinnúmero de conferencias sobre temas como familia, valores, educación de los hijos, pedagogía y relaciones humanas.

Es creadora de Antenas, una nueva herramienta terapéutica que funciona a través de un títere interactivo, manejado en tiempo real por un experto, y fundadora-presidenta de la Asociación Civil "Antenas por los niños", que trabaja por la salud mental de menores de escasos recursos desde 2005 y que actualmente interviene en políticas públicas para proteger a la infancia de todo tipo de abusos.

Ha sido nombrada como Emprendedora Social por la organización internacional Ashoka.

Es autora de cuatro libros: Profesión: mamá una guía para ejercerla; Profesión mamá: adolescencia (nueva edición); Sin dañar a terceros. El niño ante los conflictos entre papá y mamá y Padres superpoderosos, descubre qué es la resiliencia y su acción transformadora en la educación de tus hijos.

LAS 101 COSAS QUE PUEDES HACER CON TU HIJA

(AUNQUE SEAS UN PAPÁ MUY OCUPADO)

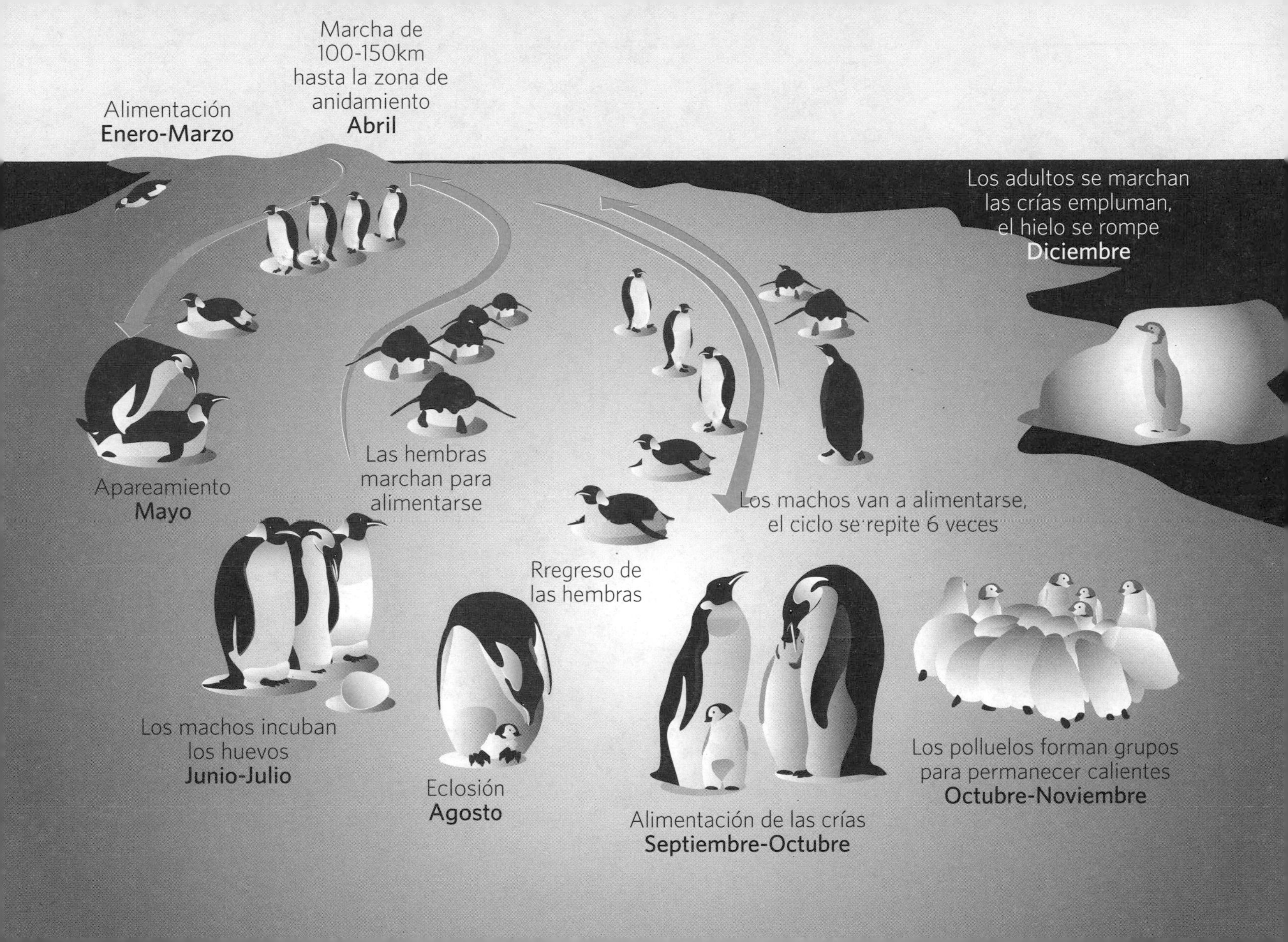

Alimentación
Enero-Marzo

Marcha de
100-150km
hasta la zona de
anidamiento
Abril

Apareamiento
Mayo

Las hembras
marchan para
alimentarse

Los machos incuban
los huevos
Junio-Julio

Eclosión
Agosto

Rregreso de
las hembras

Los machos van a alimentarse,
el ciclo se repite 6 veces

Alimentación de las crías
Septiembre-Octubre

Los polluelos forman grupos
para permanecer calientes
Octubre-Noviembre

Los adultos se marchan
las crías empluman,
el hielo se rompe
Diciembre

Presentación

Durante el invierno austral, cuando la temperatura desciende a cuarenta grados bajo cero en la Antártida, los pingüinos emperadores incuban entre sus patas los huevos que desovaron las madres poco antes de retornar al mar para alimentarse.

La hembra pone un huevo que es protegido por el macho durante los meses de junio y julio hasta su eclosión, sesenta y cuatro o sesenta y siete días después. Durante los cuatro meses que transcurren entre el viaje de cuarenta o cien kilómetros al lugar de anidamiento, el cortejo y la incubación, el macho puede perder hasta cuarenta por ciento de su peso por la falta de alimento. Es entonces, a principios de agosto, cuando son relevados por las madres que atienden a la cría por otros veinticuatro días. A partir de ese momento los padres se turnan, y mientras uno se encarga de la cría, el otro se dirige a la costa para alimentarse, lo cual realizan en seis ocasiones. El viaje de ida y vuelta de los padres al mar se va acortando conforme el hielo invernal se funde. Las crías se independizan entre octubre y noviembre, y hacia fines de diciembre la colonia entera de pingüinos regresa al mar.

1 Dense un beso en la mano y guárdenlo todo el día

Al dejarla en la escuela, bésale la palma de su mano y haz que guarde tu beso en la mochila, o donde ella quiera, y que a su vez, ella bese tu mano. Es importante que ella observe cómo guardas su beso en la bolsa de tu pantalón. Dile que cuando te extrañe, o se acuerde de ti, saque el beso y se lo ponga en la mejilla.

2 Señal "especial" de te quiero. Pueden tocarse la nariz

Inventen una señal para decirse te quiero, es muy útil cuando se lo quieran decir y no sea posible. Esa señal puede ser tocarse la nariz; así por ejemplo, si estás hablando por teléfono y quieras expresarlo, tócate la nariz para que ella sepa lo mucho que la quieres.

3 Canción o tonada

Inventen una tonada o canción que solo ustedes sepan. Cántenla de camino al colegio, háblale de la oficina y dícela quedito. No importa lo bien que cantes, si no la nota que dejes en su corazón.

4 Dar beso de "pulguita" (inventen un nombre)

Dense un beso diferente con las pestañas o el bigote y póngale un nombre especial.

5 Letreros diversos

Si trabajas los fines de semana, déjale un papelito en su puerta diciéndole que entraste a despedirte, que la quieres y que se ven cuando llegues a casa. También puedes dejarle letreros en su lonchera o en alguna parte especial de la casa, como el refrigerador, que digan te quiero.

6 Álbum TÚ y YO

Haz un álbum especial para ella en donde pongas fotos de cuando eras chiquito, mientras ibas creciendo, cuando te casaste con mamá, cuando ella nació, etcétera. Así, aunque estés trabajando, ella podrá verte y recordarte, y será mejor si a cada foto le pones una pequeña historia o se la cuentas.

7 Regalo sorpresa

Al salir en familia o al llegar del trabajo, cómprale algo y regálaselo, dale un motivo en especial, no le digas que se lo merece por ser "niña buena", eso la puede hacer pensar que si no recibe regalos es por "mala". Recuerda que los más pequeños poseen un pensamiento concreto. Cuando le des el regalo, coméntale que pensabas en ella al comprarlo.

8 Ritual o tradición

Fomenta una tradición o un ritual familiar, como darse las buenas noches con un beso, poner el árbol de navidad juntos, marcar determinada hora del día para platicar, etcétera. Cualquier cosa que puedan compartir como padre e hija será esencial para su desarrollo.

9 Carita en el dedo pulgar

Píntale una carita en su dedo y dile que cada vez que la vea se recordarán, que el hecho de que te encuentres trabajando, o con los amigos, no significa que la olvidas.

10 Anagrama con iniciales

Escriban palabras en donde cada una tenga un mensaje oculto. Pueden usar las iniciales de algún nombre y jugar con las letras que escogieron, por ejemplo, puedes poner la palabra ROMA y que ella descubra que le estás queriendo decir AMOR.

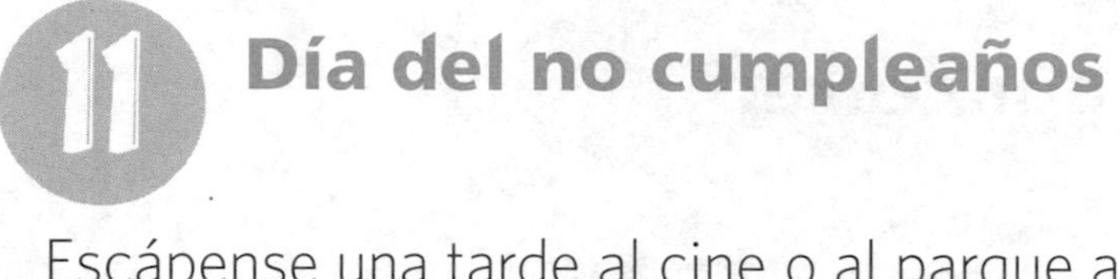

11 Día del no cumpleaños

Escápense una tarde al cine o al parque a festejar su "no cumpleaños", tanto tuyo como el de ella, de esa manera sabrá que no es necesario esperar el aniversario para pasar un rato divertido con su padre.

12 Telegrama o carta por correo

Envíale una carta por correo, puede ser el día de su cumpleaños, porque sacó buenas calificaciones o cuando te encuentres de viaje. Este detalle la hará sentir muy especial y le emocionará el hecho de que ella también puede recibir cartas sin importar la edad que tenga.

13 Mantelito individual

Diseña un mantel para tu hija y que ella haga otro para ti. Pueden poner pensamientos, dibujos, chistes; lo que a ustedes les haga recordarse, y úsenlo a la hora de la comida.

Habla bien de ella a otro

Habla bien de ella con tus amigos o familiares. Será mejor si puede escucharte para que se dé cuenta de lo orgulloso que estás de ella y, a la vez, ella se sentirá feliz por tener un padre como tú.

15 Lo que me gustó de hoy

Cuando estés con ella platicando, coméntale lo que te gustó del día, ya sea de tu trabajo, de la hora de la comida, etcétera, y pregúntale a ella qué fue lo que más le gusto de sus actividades. Compartan una nota optimista y fortalezcan la comunicación familiar.

16 Me gusta la forma como...

Expresa lo que te gusta que hace tu hija, por ejemplo, la forma como te dice te quiero, o la manera como te abraza cuando llegas del trabajo.

Globo en el clóset

Cuando ella esté dormida, entra a su cuarto y pégale un globo dentro de su clóset, le puedes poner un pensamiento, un te quiero o si te gusta más lo gracioso, puedes poner el nombre de tu hija y una frase, por ejemplo "Susana se ve linda con el uniforme" para que de esa manera alegres el día de tu hija. ¡Qué bien se siente empezar el día con una sonrisa!

Letrero del primer día de clases

Cuando sea el regreso a clases, antes de irte al trabajo, déjale un letrero en su recámara, o en el baño, que la anime a reiniciar la escuela. Puede ser con un mensaje especial con el cual le des ánimos y le recuerdes lo maravillosa que es. Eso le dará entusiasmo a un día tan lleno de emociones.

19 Corazones de gelatina, papel, etcétera

Que un fin de semana por la tarde te salga el "chef" que llevas dentro... hagan corazones de gelatina o *hot cakes* en forma de corazones. Si no se puede, háganlos de papel e inventen un juego en el que el premio sea recibir los corazones que el otro hizo.

20 Plato especial

Hagan un platillo que les guste y decórenlo con lo que se les ocurra. Echen a volar la imaginación, pueden usar plantas, pétalos, flores hechas con servilletas de papel.

"Cuando naciste" visiten al primer bebé

Es bonito recordar el día que ella nació. Cuando algún familiar tenga a su primer bebé, si se tiene la posibilidad, llévala a visitarlo y aprovecha para hablarle del día en que ella nació. Comparte un detalle especial del día de su nacimiento y lo importante que fue.

22 Que te diga un número del 1 al 10 (dale ese número de besos)

En algún momento de la tarde o noche, juega con ella, dile que piense un número del 1 al 10 y cuando te dé la respuesta, bésala ese número de veces; luego cambien los papeles. Verás que con un juego tan simple, pueden pasarla muy bien.

23 Escucho a tu ombligo. "quiere que le des un beso"

Cuando sea la hora de dar las buenas noches y ella ya esté en su cama, coloca tu oreja en su ombligo y coméntale que te está hablando y pide que le des un beso (aparte del de buenas noches), lo mismo puede ocurrir cuando estén viendo la televisión un rato.

24 Escribir con gis en la calle, "TE QUIERO"

Cuando estén caminando por la calle o cuando se detengan en una banca del parque, escriban en la banqueta un "te quiero", pueden hacerlo por separado o entre los dos.

25 Abrazos de sándwich (se necesita de mamá o alguien más)

Cuando llegues del trabajo, o cuando ella llegue de la escuela y estés en casa, junto con mamá dale un abrazo de "sándwich", puede ser que se incluya el hermano (si lo tiene) y que ella sea el relleno, para que compartan y expresen unos instantes su amor de familia.

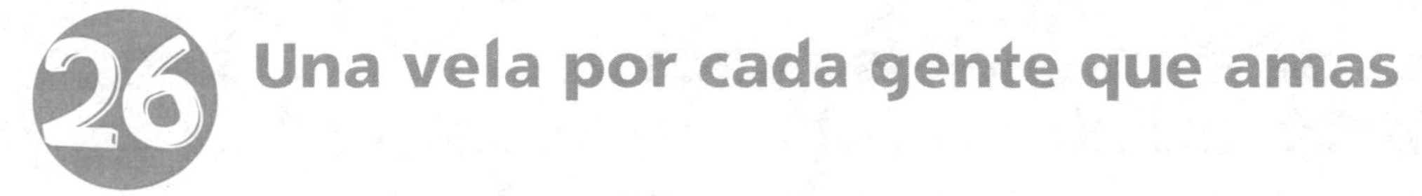

26 Una vela por cada gente que amas

Una vez al mes, o las veces que quieras, dile que van a encender una vela por cada persona a la que aman mucho. Si apagan las luces de casa será más divertido ver cómo se ilumina la casa de afecto.

27 Hagan una dirección de correo electrónico secreta

Si ella ya tiene acceso a la computadora, inventen su correo electrónico secreto, al que solo ustedes tengan acceso, así podrán compartir pensamientos, lo que les gusta de internet, fotos, etcétera.

28 Almohada con foto para el que se queda

Si por cuestiones de trabajo tienes que salir de viaje, mándale a hacer una almohada con una foto tuya o donde ambos aparezcan. De esa manera puede extrañarte menos y saber que aun lejos de casa, piensas en ella.

29 (Después de una travesura). "No siempre me gusta lo que haces, pero siempre te quiero"

Es una niña y por "naturaleza" no faltará la ocasión para que haga una travesura. Cuando llegue a pasar, hazle ver que hizo mal porque desobedeció a sus papás, pero que no se quede el asunto en el regaño, usa la frase: "no siempre me gusta lo que haces, pero siempre te quiero", así ella entenderá que el hecho de recibir un regaño no significa que la dejes de querer.

30 Cupones o vales por besos, abrazos, dormir con mamá, escoger programa, una hora más de sueño, etcétera

Pon un pizarrón en casa y por cada cosa buena que haga tu hija, coméntale que recibirá un vale por un beso, por una hora más de juego o de sueño el fin de semana; por ejemplo, si ella recogió todos sus juguetes sin que su mamá se lo dijera, podrá elegir su película favorita.

31 Estampas adhesivas "fabuloso", "lo máximo"

Consigue en algún lugar estampas con frases como "eres fabulosa", "lo máximo", "eres especial", etcétera y, cuando veas la oportunidad, colócala en alguna cosa que ella use, puede ser en su estuche de la escuela o en algún cuaderno. Al ver que tú tienes ese detalle, ella también lo tendrá contigo.

32 Buzón del corazón

Coloca en alguna parte de la casa un buzón de cartas. Explícale a tu hija que si quiere escribirle a alguien de la casa, puede hacerlo y colocar la carta en el buzón. La carta debe contener cosas que ella sienta de sí misma y de los demás. Puede ser un mensaje para ti, para su mamá o para sus hermanos. Tú también, como padre, tienes la oportunidad de dejar una carta para algún miembro de la familia y asígnale a ella la responsabilidad de repartir ese correo una vez a la semana.

33 Menú a escoger o cena a la carta

Un día que mamá no esté para la hora de la cena, deja que ella escoja el menú. Trata de no ponerle limitaciones y prepárenlo juntos. ¡Qué mejor cena que unos *hot cakes* con chocolate en compañía de tu hija!

34 Pizarrón de los sentimientos

Establece en algún lugar de la casa un pizarrón con una figura de un animal sin facciones en su rostro y a un lado reúne bocas y ojos que expresen enojo, felicidad, llanto, etcétera. Dile que cuando ella se sienta feliz lo plasme en el animal, y haga lo mismo si siente tristeza o enojo, y cuando lo haga, trata de indagar el porqué de su emoción o sentimiento.

35 Cuento en la noche

Acostúmbrate a leerle un cuento en la noche, después de acostarla en la cama. Puede ser alguno de sus relatos favoritos, uno que a ti te guste o uno que tú vayas modificando sobre la marcha.
A ella le encantarán las variaciones para darle las buenas noches.

36 Teléfono celular especial con papá

Cómprale un celular especial para niños en donde solo se permite recibir y sacar llamadas de los números que los adultos permiten. Esto puede ser una vía de comunicación con tu hija aunque no siempre puedas estar con ella.

37 Hagan una pintura con las manos

Compra pinturas de agua y pónganse a dibujar en una cartulina una obra de arte hecha por los dos; recuerda que trabajar en equipo es una buena forma de convivir, intercambiar ideas y plasmar su creatividad.

38 Lentes resiliencia

Compren lentes de diferentes colores y tamaños en cualquier mercado. Jueguen a ver las cosas buenas o malas a través del lente que elijan ponerse.

39 Audiófonos resilientes

El teléfono descompuesto no escucha las cosas malas, solo sabe escuchar las cosas que engrandecen su corazón.

Pantuflas de lo importante del día

Consigan unas pantuflas chistosas, que solo pueda usar quien haya hecho algo importante en el día.

41 Sillón del consentido

Cuando ella haga algo bien, como algún logro escolar que consideres importante, o simplemente haya respetado a mamá en el día, déjala sentar en el sillón del consentido. Cuando esté ahí, dale la oportunidad de ver la televisión un rato más, de comer su postre favorito, de ver una película, etcétera. La actividad que tú consideres más gratificante permítesela realizar y claro, acompáñala para que compartan ese tiempo.

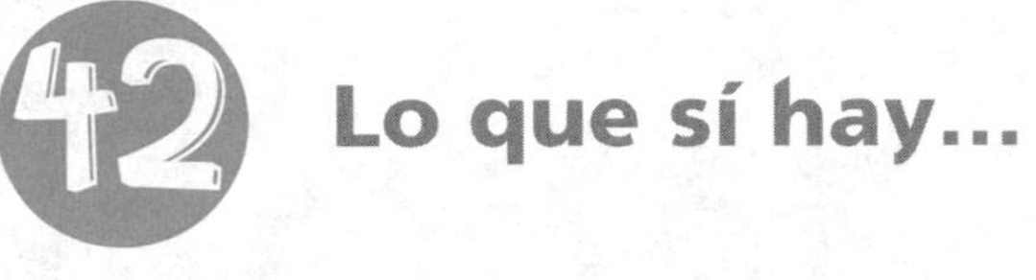

Lo que sí hay...

Hagan una lista de todas las cosas que sí tiene pero no se da cuenta. No son cosas materiales sino, por ejemplo, piernas para caminar. De tal manera que encuentren juntos lo que la vida ofrece.

43 La ventaja de...

Una tarde platiquen de las ventajas que se tienen de ser papá o de ser hija, también lo pueden hacer de las ventajas de ser niño y ser adulto, de ser hombre o ser mujer... Escoge el tema y tú enséñale de la mejor manera las ventajas que se tienen de la vida.

Pregúntale su punto de vista como mujer

Cuando estén platicando en familia y ella esté escuchando del tema, pregúntale lo que opina como mujer; por ejemplo, si están hablando de que el vecino regalo el perro de su hija, pregúntale qué opina ella, como mujer, sobre eso.

45 Elimina la idea de que algunas actividades solo son para hombres. Llévala a pescar o acampar

Enséñale a tu hija que las actividades no tienen un sexo determinado, si no que cualquier persona puede hacer lo que le guste; como practicar el futbol o el ballet, sin importar que seas mujer u hombre. Un fin de semana váyanse a acampar o a pescar truchas, explícale que esas actividades no sólo las practican los hombres o los papás con sus hijos, sino también las hijas. Si ella practica baile, baila con ella; hazle notar que la visión de género que se tiene en la sociedad puede ser una limitante posible de cambiar.

46 Maleta o paquete de amor

Cuando llegues del trabajo dile que le trajiste un paquete de amor. Le puedes dar una cajita envuelta en un lindo papel o una maletita que esté vacía, al momento en que se la entregues y no encuentre nada, coméntale que si se fija bien, en realidad notará que no está vacía, que la llenaste de besos para que ella saque uno cada vez que lo necesite. Por ejemplo, si en la noche tiene una pesadilla, puede sacar un beso del paquete de amor para que se tranquilice y se le quite el miedo.

47 Explícale acerca de los deportes

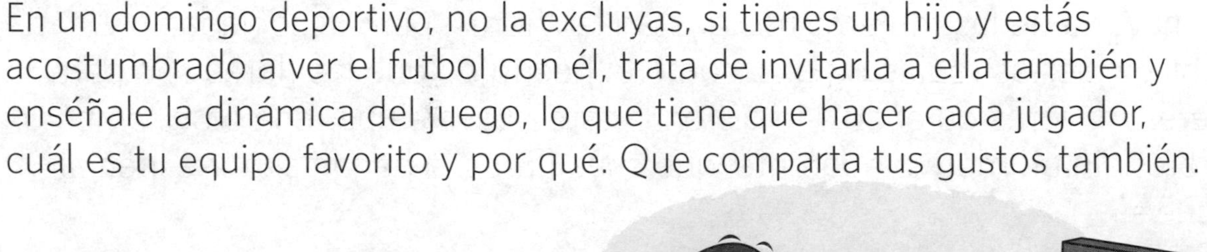

En un domingo deportivo, no la excluyas, si tienes un hijo y estás acostumbrado a ver el futbol con él, trata de invitarla a ella también y enséñale la dinámica del juego, lo que tiene que hacer cada jugador, cuál es tu equipo favorito y por qué. Que comparta tus gustos también.

48 Llévale flores un día

A la mayoría de las mujeres nos gustan las flores, pero la sociedad establece ciertas reglas rígidas, como el hecho de que las flores son para mujeres mayores de edad. Un día en la tarde llévale una rosa o un ramo de flores sin un motivo aparente, que esas flores la hagan sentir especial porque sí.

49 Noche de pizza

Salgan un poco de la rutina de la cena, si lo suyo es cenar comida hecha por mamá en el comedor, rompan la rutina. Ordena unas pizzas para cenar y cómanselas frente a la televisión disfrutando de una película o de su programa favorito. También pueden hacerlo en compañía de juegos de mesa. Estimulen la convivencia familiar.

Foto familiar en cada cuarto

Si tienen fotos familiares, compra marcos para que en cada recámara de la casa esté alguna; de esta manera ella podrá sentir la unión familiar.

Colección de peluches o estampas

Cada que puedas, llévale un peluche o una estampa, igual le puedes dar dinero para que ella compre lo que más le guste y de esa manera que empiece a crear su colección, pueden ser también plumas de colores, canicas, etcétera. Compartan intereses mutuos.

52 Hagan un diario

Hagan su propio diario compartido en donde anoten todo lo que hicieron en el día: lo que les gustó, lo que no les gustó, lo mejor del día, lo peor del día, etcétera. Divídanlo para que cada uno tenga su espacio para escribir y así, cuando puedan, compartan sus ideas.

53 Ataque de besos

Cuando se encuentre viendo la televisión o esté jugando con sus muñecas, entra a su cuarto fingiendo estar enojado y dile que tienes que decirle algo y... ¡atácala de besos! Compartan un instante juntos, lo puedes hacer antes de irte de casa.

54 Viaje a las estrellas, "llenen su cuarto de estrellas que brillen en la oscuridad"

Cómprale estrellas que brillen en la oscuridad y en un rato libre péguenlas en el techo de su cuarto, dile que en las noches se verá muy bonito y parecerá como si estuviera en un "viaje al espacio".

Regálale un día de belleza con mamá

¿Por qué no consentir a las mujeres de la casa? Dile a mamá que saque una cita con su estilista personal y que las consientan haciéndoles un corte de cabello o un tratamiento. Es una forma original de fomentar la convivencia entre ellas.

56 Buzón de los secretos

Haz un buzón que solo tú y ella conozcan, y llénenlo de cartas compartiendo secretos. Tú puedes escribir secretos que tenías cuando eras chiquito, o que actualmente puedes compartir con ella. Dile que nadie, además de ustedes dos, puede leer esos mensajes y que la única regla es no compartirlos con nadie.

57 La pulsera de la unión

Usen una pulsera cada uno para recordar al otro. Cuando vayan de compras, incluyan unas pulseras con el mismo diseño o diferentes, pero elegidas por ambos con el propósito de unirlos.

Llévala a un partido de futbol

"Lánzate" con ella a algún estadio a ver un partido de futbol de su equipo favorito y compartan la emoción y la sensación de estar entre tanta gente disfrutando del partido.

59 Hagan un portarretrato de cartón

Estimula su creatividad haciendo un portarretrato de cartón, que pueden decorar con pinturas, diamantinas, crayolas, o el material que ustedes elijan, y ya cuando esté listo, coloquen una foto de la familia o de los dos y pónganlo donde puedan verlo.

60 Hagan una bebida especial

El día de la semana que ustedes prefieran, por la noche hagan una bebida especial en un vaso grande con dos popotes. Puede ser un chocolate caliente con bombones, una malteada con galletas, en fin, que sea una bebida deliciosa para compartir.

61 Chef y Chiqui Chef

Algún día que puedas, escápate de la oficina o del trabajo y hagan la comida para mamá, pueden comprar cosas ya hechas y arreglar la mesa de manera especial para mamá o hacer toda la comida entre los dos. Enséñale a tu hija a seguir instrucciones y fomentar la convivencia familiar.

62 Semejanzas y diferencias

Encuentren cosas iguales y diferentes que tienen. Analicen en qué se parecen sus gustos y compartan las diferencias. Planeen un día hacer algo que ambos disfruten igual y otro, algo que nunca harían y viceversa.

63 Perfuma su peluche con loción

Si ella tiene un peluche favorito que no suelta para nada, una cobija o una almohada especial, tómala prestada un instante y rocíala con tu loción favorita, el olor hará que te recuerde todo el tiempo. (¡Pero no exageres la cantidad!)

Disfrázate con ella y tómense una foto

Cuando juegue a disfrazarse, inventa tu propio disfraz y sorpréndela. Si ella está vestida de princesa, disfrázate de príncipe y tómense una foto para el portarretrato que hicieron.

65 Fin se semana: "Padre e hija"

Pasen un fin de semana único y exclusivo para los dos. Pueden irse de día de campo, al zoológico, al parque, a un balneario, etcétera. El punto importante es que los dos tengan un momento para convivir y contarse cosas que posiblemente en casa sería más difícil de expresar.

66 Enséñale a manejar

Si tiene la edad suficiente para hacerlo, es momento de que le enseñes a tu hija a manejar. De esa manera ella observará que estás dispuesto a enseñarle y ser su guía en la más mínima cosa, igual se dará cuenta de cuán paciente y tolerante puedes ser al enseñarle algo completamente desconocido para ella.

67 Inventen una palabra secreta

Creen su propio código secreto empezando por una palabra clave o secreta, si lo que quieren expresar es un te quiero, un te extraño, que signifique un beso, etcétera, inventen una palabra divertida como "cachinflais" y sólo ustedes sabrán el significado de esa palabra.

Establezcan un lugar seguro y secreto

Establezcan un lugar de su casa como el lugar "secreto" y más "seguro", con el propósito de que ella se meta ahí cuando se sienta triste o enojada, y así tú sabrás en dónde está y podrás descubrir lo que le pasa. Acércate a ella no como padre, si no como un amigo al que le puede contar las cosas.

Noche de película y palomitas

Una vez cada quince días, o una vez al mes, hagan una noche de películas y palomitas. Pónganse a ver trilogías, series, caricaturas y acompáñense de unas deliciosas palomitas... notarás el rato tan agradable que puedes pasar al lado de tu pequeña.

70 Sorpréndela a la salida del colegio, y váyanse a comer

Dale la sorpresa y ve por ella a la escuela, le encantará que seas tú quien la recoja, y más aun que se vayan a comer juntos. Deja que elija el lugar y, si estás de acuerdo, vayan. Recuerda que la comida es una forma muy importante de convivencia.

Desayuno en la cama

¿Por qué no sorprenderla un fin de semana llevándole el desayuno a la cama? Es una manera muy sencilla y especial para mostrarte divertido y que ella se sienta más querida que nunca.
Tú también puedes desayunar en su cama y compartir un momento a solas con ella.

72 Cuiden algo juntos

Cómprense una planta y hagan un compromiso para cuidarla entre los dos. Elijan horarios y días especiales para que cada uno la saque al sol y la riegue. Se sentirán orgullosos de verla crecer.

73 Vayan al zoológico

Salgan un poco de la rutina de los fines de semana y váyanse al zoológico, es una buena oportunidad para platicar y conocerse mejor. Tendrán muchos temas de conversación sobre los animales, los lugares donde viven y podrán descubrir cuáles son sus favoritos.

Día de picnic en su jardín

Planea un picnic en tu casa. Puedes hacerlo en la azotea, la terraza, el jardín o en un parque cercano. Sorpréndela con el mantel y la comida, y verás cómo su imaginación hace el resto. Platiquen de las cosas cotidianas como la escuela, el trabajo, la familia, de sus amigas, de tus amigos. ¡Aprovechen ese momento para conocerse mejor que nadie!

75 Déjale una sorpresa (notita) bajo su almohada

Cuando llegues del trabajo y ella ya esté dormida, déjale una notita diciéndole cuánto la quieres, o lo mucho que la extrañaste en el día. También lo puedes hacer cuando ella no esté presente para que encuentre la nota cuando se vaya a dormir. Es una forma diferente de decirle buenas noches y dulces sueños.

76 Si se va de viaje, mete un recuerdo de ti en su maleta

Si por cuestiones escolares o familiares se tiene que ir fuera de casa algunos días, puedes meter una cosa especial tuya que la haga pensar en ti, puede ser un llavero que ella identifique o una foto. Trata de que no lo descubra hasta que llegue al lugar destino.

77 Márcale de la oficina... te quita dos minutos

¿Por qué esperar hasta llegar a casa para hablar con ella? Tómate dos minutos de tu jornada laboral para hacerle una llamada y decirle cualquier cosa, ella se sentirá muy bien y la espera en casa será más emocionante.

78 Invítala a cenar "elegante"

Así como la puedes llevar al zoológico, a pescar o acampar, invítala también a una cena elegante. Enséñale que las personas se pueden divertir de maneras diferentes y explícale los modales que se tienen que tener cuando se está en una cena "elegante". Exploren el mundo de diferentes maneras, no dejes que ella lo haga sola.

Que conozca tu oficina

Un día laboral en el que no te encuentres muy ocupado, llévala a tu lugar de trabajo, enséñale tu oficina o la empresa en la que te encuentras. Hazle saber que puedes compartir cualquier espacio donde tú estés con ella.

80 Hagan un deporte juntos

Si los horarios de ambos lo permiten, practiquen un deporte juntos, puede ser karate, natación, etcétera. Demuéstrale que aparte de convivir como familia padre-hija, también lo pueden hacer como amigos divirtiéndose sin importar la edad que cada uno tenga.

81 Noche de bombones con vela... ¡sorpréndela!

Un sábado por la noche acampen en su jardín (si es posible), prendan una fogata y calienten bombones, pueden incluir a los demás miembros de la familia y platiquen lo que hicieron en la semana y los planes futuros que tienen, ya sea en la escuela o en el trabajo.

82 Hagan un billete mágico

Puede ser un billete de baja denominación o de los que han dejado de circular y pártanlo. Conserve cada uno su mitad para recordar que las cosas no tienen valor si no se comparten, y compartir algo con ella es muy importante para ti.

83 Llave de sus secretos

Así como establecieron su lugar secreto, inventen una llave con la que solo ustedes podrán abrir ese espacio secreto. Únicamente ella y tú tendrán acceso a sus secretos. De esta manera ella sabrá que eres una persona en la que puede confiar.

84 Enséñale a chiflar

¿Quién dijo que chiflar solo es cosa de hombres? Así como ella te puede enseñar a bailar, tú enséñale a chiflar. Notarás el agradable momento que pueden pasar juntos con un acto tan sencillo.

85 Juega a la familia... Tú la hija, ella el papá

En una tarde de juegos, inviertan los papeles, que ella sea el papá y tú la hija, imítense y hagan las cosas que el otro acostumbra. Pasarán un rato muy divertido en compañía de la familia.

86 Peinados locos

Con gel, diamantina y un cepillo pueden hacer maravillas. Deja que tu hija te peine y tú a ella. Enséñale lo bueno de reírse de uno mismo.

87 Hagan un diario de los sentimientos del día

Regálale un cuaderno especial en donde escribirá lo que siente. Todas las noches platiquen de lo que escribió.

Termómetro de sus emociones

Así como hicieron el pizarrón de las emociones, dibuja un termómetro en la pared en donde lo más frío sea estar triste y lo más rojo sea estar muy enojado; así, cuando ella tenga algún tipo de emoción, enséñala a plasmarlo en el termómetro para que sepas lo que tiene y la puedas ayudar a expresar de diferentes maneras lo que puede llegar a experimentar.

89 Platícale cómo eras cuando tenías su edad

Dile cómo eras y lo que hacías cuando tenías la misma edad de ella, no le ocultes nada y cuéntale que eras un niño al que castigaban por sus travesuras y premiaban por sus logros, etcétera.

90 Enséñale a hacer aviones de papel

Si tiene mucho tiempo haciendo tarea, dale un "descanso" para enseñarle a hacer aviones, ranas o pájaros de papel, esos pocos minutos de enseñanza le ayudarán a despejar su mente y pasar un momento agradable.

91 Reconoce sus creaciones

Cuando llegue de la escuela y te enseñe un dibujo, una manualidad que ella sin la ayuda de nadie haya hecho, muéstrate orgulloso para que refuerces su seguridad en sí misma. Tampoco llegues al grado de la "hipocresía", simplemente sé sincero con sus talentos.

Junten juguetes y llévenlos a los necesitados

Así como estás para comprarle cosas, foméntale el hábito de entregarlas cuando ya no juega con ellas o ya no las necesita. Dile que ponga en una caja los juguetes que ya no usa y al terminar llévenlos a una casa hogar. Es importante que ella vea el valor que tienen esas acciones y la alegría que puede dar a los demás, como en algún momento tú hiciste con ella.

93 Pídele su opinión

Le puedes preguntar sobre cualquier tipo de cosas: qué le gustaría comer, qué se quiere poner para ir a una fiesta, cómo se quiere peinar, cómo te ves para ir al trabajo, etcétera. Hazle notar que sin importar la edad que tenga, es tomada en cuenta y su opinión es valiosa para ti.

Jueguen cinco cosas a la vista

Si se encuentran en casa o van camino hacia algún lado, juega con ella a que adivine lo que estás viendo dándole pistas. Cuando logre hacerlo, tú adivina lo que ella está viendo. Es una manera muy agradable de "romper el hielo".

95 Decoren un marco y pongan una foto

Si es posible, localicen un marco que ya esté en la casa y puedan redecorar. Pídele a ella una lista de cosas que necesite para transformarlo o háganlo juntos. Píntenlo y escriban algo especial que les haga recordar los buenos momentos de la foto que eligieron.

Disfrázate con ella en Halloween y acompáñala a pedir dulces

Aprovechen las ocasiones especiales como Halloween para crear sus disfraces y salgan a divertirse juntos. ¡Sé su cómplice de "travesuras"!

97 Toma chocolate batido y jueguen a hacerse bigotes de chocolate

No importa que sea con la yema del dedo, píntale bigotes de chocolate y haz que se vea en el espejo. No hay nada mejor que pasar un momento de risa con tus seres queridos.

98 Ayúdale a escoger su *lunch* o refrigerio... Agrega una sorpresa

Antes de irse a la escuela, ayúdala a preparar su *lunch*, y sin que lo note, ponle un chocolate o su dulce favorito con una notita para que a la hora de recreo se sorprenda tanto por tu gesto como por lo bien que la conoces.

Si te vas de viaje, déjale un calendario marcado con la fecha de tu regreso

Si tienes que salir de viaje mucho tiempo, hagan un calendario juntos y señalen tanto los días que te vas como el día de tu regreso... Puedes agregarle detalles lindos como frases del tipo: "papi piensa en ti" o "ya casi llega papi". Explícale el porqué tienes que irte y llámale por teléfono cada que te sea posible.

100 Platica de la vida

No solo pueden platicar de gustos e intereses en común, sino también de lo importante que es la vida y de lo que la vida es en sí. Ella está pequeña y no entiende muchas cosas todavía, pero con tus palabras y consejos poco a poco lo hará.

101 Pregúntale de sus amigas... apréndete sus nombres

No solo te preocupes por saber cómo están sus calificaciones, sino también interésate en preguntarle el nombre de sus amigas, para que cuando ella te platique algo sepas de lo que está hablando. Una tarde la puedes sorprender invitándola junto con todas sus amigas a comer hamburguesas o una pizza.